Dados Internacionais de Catalogação na Publicação (CIP)
(Câmara Brasileira do Livro, SP, Brasil)

Sousa, Mauricio de
Chico Xavier e seus ensinamentos / Mauricio de Sousa ; Luis Hu Rivas e Ala Mitchell, desenho Emy Yamauchi Acosta, -- Catanduva, SP : Instituto Beneficente Boa Nova, 2016.

ISBN 978-85-8353-068-8

1.Espiritismo - Literatura infantojuvenil Literatura infantojuvenil 3. Xavier, Francisco Cândido, 1910-2002 I. Acosta, Emy Yamauchi II. Título.

16-00294 CDD-028.5

Índices para catálogo sistemático:

1. Evangelho : Literatura infantil 028.5
2. Evangelho : Literatura infantojuvenil 028.5

5º Edição
Do 50º ao 55º milheiro
5.000 exemplares – Agosto de 2022

Equipe Boa Nova

Diretor Presidente:
Francisco do Espirito Santo Neto

Diretor Editorial e Comercial:
Ronaldo Azevedo Sperdutti

Diretor Executivo e Doutrinário:
Cleber Galhardi

Editora Assistente:
Juliana Mollinari

Produção Editorial:
Ana Maria Rael Gambarini

Coordenadora de Vendas:
Sueli Fuciji

2017
Direitos de publicação desta edição no Brasil reservados para Instituto Beneficente Boa Nova entidade coligada à Sociedade Espírita Boa Nova.
Avenida Porto Ferreira, 1031 | Parque Iracema | Catanduva/SP | 15809-020 | Tel.17-3531-4444
www.boanova.net

O Produto da venda desta obra é destinado à manutenção das atividades assistenciais da Sociedade Espírita Boa Nova de Catanduva, SP.

Estúdios Mauricio de Sousa

Presidente: Mauricio de Sousa

Diretoria: Alice Keico Takeda, Mauro Takeda e Sousa, Mônica S. e Sousa

Mauricio de Sousa é membro da Academia Paulista de Letras (APL)

Diretora Executiva
Alice Keico Takeda

Direção de Arte
Wagner Bonilla

Diretor de Licenciamento
Rodrigo Paiva

Coordenadora Comercial Editorial
Tatiane Comlosi

Analista Comercial
Alexandra Paulista

Editor
Sidney Gusman

Layout
Robson Barreto de Lacerda

Revisão
Ivana Mello

Editor de Arte
Mauro Souza

Coordenação de Arte
Irene Dellega, Maria A. Rabello, Nilza Faustino

Assistente de Departamento Editorial
Regiane Moreira

Desenho
Emy Yamauchi Acosta

Arte-final
Clarisse Hirabayashi, Cleber Salles, Cristina Hitomi, Jaime Padovin, Juliana Mendes de Assis, Romeu T. Furusawa

Cor
Giba Valadares, Kaio Bruder, Marcelo Conquista, Mauro Souza

Designer Gráfico e Diagramação
Mariangela Saraiva Ferradás

Supervisão de Conteúdo
Marina T. e Sousa Cameron

Supervisão Geral
Mauricio de Sousa

Condomínio E-Business Park - Rua Werner Von Siemens, 111
Prédio 19 – Espaço 01 - Lapa de Baixo – São Paulo/SP
CEP: 05069-010 - TEL.: +55 11 3613-5000

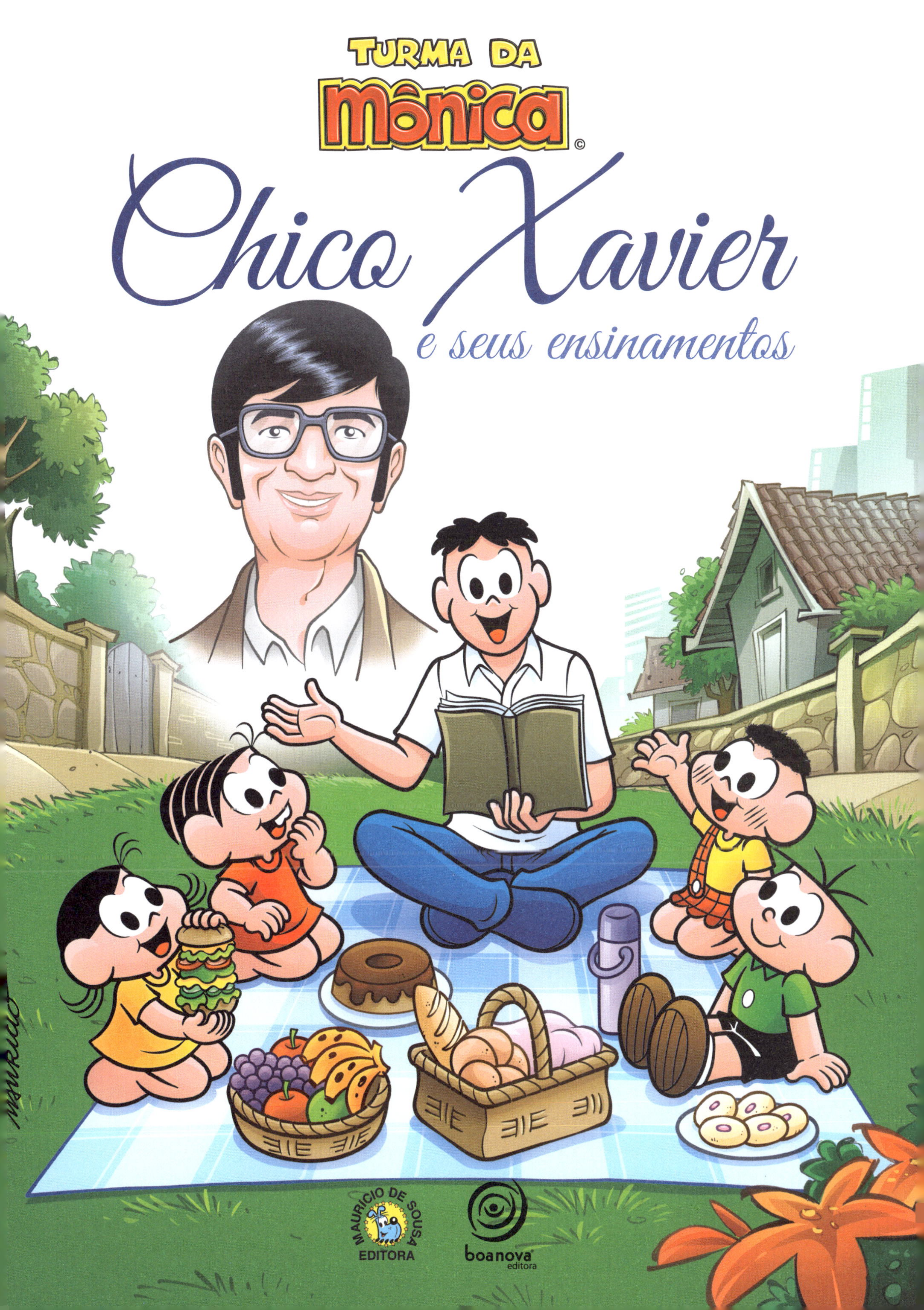
TURMA DA
Mônica ©
Chico Xavier
e seus ensinamentos
MAURICIO DE SOUSA
EDITORA
boanova
editora

Sumário

Prefácio

Amor, caridade e humildade

Já pensou como seria legal se as belíssimas lições do bem, ensinadas por Chico Xavier, fossem transmitidas às novas gerações?

Isso agora se tornou realidade.

Considerado um dos maiores brasileiros de todos os tempos, Chico Xavier teve uma vida iluminada, conseguindo, em pequenas situações do dia a dia, oferecer grandes lições do amor ao próximo.

Assim, o livro *Turma da Mônica - Chico Xavier e seus ensinamentos* apresenta exatamente isso, com historinhas divertidas dos personagens mais queridos do Brasil, nas quais são narradas as mensagens amorosas que Chico aprendeu do Evangelho de Jesus.

Esperamos que você goste deste livro, e que essa leitura torne sua vida muito mais feliz.

Os autores

Num belo dia de sol, a turminha foi ao parque da cidade para um grande piquenique. As crianças, seus pais e até os animais de estimação estavam muito animados. Eram várias cestas e lancheiras (e muita comida extra para a Magali).

Quando chegam ao parque, encontram um velho conhecido:

— Oi, primo André. Você chegou antes de nós! Tivemos que fazer um desvio por causa de uma poça de água numa rua... Brrr, fico até arrepiado de lembrar — disse Cascão.

— Obrigado por me convidarem, crianças! — falou André.

Todos sentaram e começaram o piquenique. Dorinha deu água para Radar, seu esperto cão-guia, e disse:

— Dudu, me passa essa geleia de morango?

— Pode levar, Dorinha! Eu não vou querer comer nada mesmo. Mas, peraí! Como você sabia qual geleia era? Você tem superpoderes? — perguntou Dudu, impressionado.

— A Magali também tem esse sentido superaguçado. — lembrou Mônica. Ela consegue acertar o cheiro de qualquer comida de muito longe...

— Isso ***palece*** coisa de super-***helói***, tipo o Capitão Pitoco. — disse Cebolinha.

— Uma vez, lá em casa, o André falou de um homem que tinha supersentidos e até falava com seres invisíveis. Qual era mesmo o nome dele, primo? — perguntou Cascão.
— Conta pra gente! — falou Magali, curiosa.

— Hê! Hê! Não é bem assim, Cascão. Mas vamos lá. Veja que curioso: na vinda para cá, passei na livraria e comprei um livro que fala justamente sobre esse homem. — disse André. — Talvez vocês não saibam, mas ele ficou conhecido pelo bem que espalhou pelo mundo e foi até considerado o maior brasileiro de todos os tempos, num concurso de televisão.

— Uau, então ele era beeeem alto, né? — perguntou Dudu. — Já sei! Ele tinha uns ***tlês metlos*** de ***altula***. — completou Cebolinha.— Há, há, há! Nada disso, meninos! — respondeu André. — Ele tinha grandeza na alma, porque até nas pequenas coisas do dia a dia conseguia extrair uma lição do bem.

O primo André então perguntou a todos: — Sabiam que nos mais de 400 livros escritos por ele, há diversos exemplos dos ensinamentos de amor que Jesus nos deixou?

— Qual é o nome dele? Estou curioso. — indagou Xaveco.

— Seu nome é Chico Xavier! — respondeu André. — E eu posso mostrar pra vocês como ele sempre conseguia transmitir bons ensinamentos. Por favor, vamos repetir a brincadeira do nosso último encontro: contem para mim histórias que vocês viveram.

Assim, a turminha, ficou toda animada. As crianças se sentaram ao redor dele e contaram as suas aventuras.

Ambiente limpo

— Vocês se lembram daquela vez, quando a gente estava na casa da Magali, assistindo ao jogo da seleção de futebol? — perguntou Cascão.

— ***Clalo!*** Eu levei as pipocas, que ***acabalam*** em menos de um minuto. — falou Cebolinha, olhando para a Magali com ares de bronca.

— Eu levei sucos e refrigerantes! — disse Mônica.

— E eu preparei uma mesa cheia de comida! — afirmou Magali.

André observou a conversa, e perguntou se lembravam de algo mais.

— Sim. A cada gol do Brasil, a gente gritava e pulava de alegria. — falou Cascão. — Mas aí, aconteceram alguns "acidentes".

— De tanto pular, a gente derramou refrigerante na sala. — contou Mônica.

— E eu quase me molhei! Foi terrível! – lembrou Cascão, apavorado.

— As pipocas ***caílam*** por todos os lados. — disse Cebolinha.

— Até a melancia espatifou no chão e sujou tudo. Que dia triste!— falou Magali.

— Os pais da Magali não gostaram nada da bagunça. — completou Cascão.

— Pior é que amanhã é a final, e meus pais não vão querer bagunça de novo. — completou Magali. — Mesmo que a gente limpe tudo no final.

Foi aí que André falou para a turminha um ensinamento de Chico Xavier: *"O ambiente limpo não é o que mais se limpa, e sim o que menos se suja"*.

— Gostei disso! Vai ser meu novo lema! Não é preciso limpar a toda hora, é só não sujar tanto. — afirmou Cascão.

— Há, há, há! — André sorriu e perguntou: — E vocês, o que pensam em fazer agora para assistir à final do campeonato?

— Ah, eu vou falar pros meus pais que vamos prestar mais atenção, e que não vamos deixar cair nada no chão. — respondeu Magali.

— E eu posso levar vasilhas ***maioles pala*** as pipocas! — disse Cebolinha.

— E eu também vou usar roupas limpas, pra não sujar a sala. — falou Cascão.

Então, André parabenizou a todos:

— Muito bem, crianças! Viram como um bom ensinamento pode mudar hábitos? Garanto que os pais de Magali vão ficar contentes com essa atenção de vocês.

Os melhores amigos

— Agora é minha vez! — exclamou Mônica. — Lembrei do dia em que conhecemos a Dorinha.

— Ah, a gente estava ***blincando*** de ***cabla***-cega. — disse Cebolinha.

— A Mônica não conseguia achar ninguém. — completou Magali.

— Sim! Foi nesse dia que a Dorinha nos apresentou o Radar, seu cão-guia, que é como se fosse os olhos dela. — completou Mônica.

— Isso mesmo. Ele me ajuda a atravessar a rua, desviar dos obstáculos, evitar buracos etc. — disse Dorinha, que ainda completou: — Esses cães são treinados especialmente para ajudar as pessoas com deficiência visual, e não estão ali para passear ou brincar. Mas, ainda assim, são uma ótima e gostosa companhia.

Entao, André disse:

— Isso me lembra de uma frase do Chico Xavier. *"Os bichinhos têm alma e seu amor vale como o dos melhores amigos."*

— É verdade, uma vez fiquei de cama, doente, e o Monicão ficou o tempo todo me fazendo companhia, tentando me alegrar, até que eu me recuperasse. — disse Mônica. — É um verdadeiro amigo.

— Eu também ***adolo*** o Floquinho. Quando eu machuquei o ***blaço*** e fui ***plo*** hospital, ele ficou me ***espelando*** na ***polta*** de casa. — explicou Cebolinha.

— O Chovinista também é um parceirão. Já me salvou muitas vezes de levar um banho! — disse Cascão.

Um novo fim

Acabei de lembrar do dia em que fomos visitar o Chico Bento, na Vila Abobrinha. — disse Magali. — Quando chegamos, vimos que muitas árvores tinham sido arrancadas por um forte temporal. Goiabeiras, laranjeiras, mangueiras... tive pena de quantas frutas eu não poderia comer.

— E o que mais chamou a atenção foi ver que Chico e Zé Lelé corriam alegres, de cima pra baixo. — completou Cascão. — Imagine, estava cheio de poças de água da tempestade e folhas molhadas!

André então quis saber por que eles estavam correndo alegres, e Mônica explicou que o Chico disse que era normal ter chuva forte e a natureza derrubar as árvores e as plantas, de vez em quando.

— O Chico também falou que não adiantava reclamar ou ficar triste. — continuou Magali. — Eles estavam correndo para tentar resgatar as árvores que tinham sido arrancadas do chão, para replantá-las e manter a natureza em harmonia.

Foi quando André interrompeu:

— Certa vez, Chico Xavier afirmou: *"Embora ninguém possa voltar atrás e fazer um novo começo, qualquer um de nós pode começar agora e fazer um novo fim."* Ou seja, crianças, diante de uma situação difícil, não adianta lamentar, temos que reparar. Magali prosseguiu a história e contou que a turminha, sensibilizada, quis colaborar. — Eu bolei um plano infalível ***pala*** ajudar! — disse Cebolinha. — Falei ***pla*** Mônica, que ela podia ajudar com as ***álvores*** mais pesadas! Magali ***podelia*** ajudar, comendo e semeando os locais com os ***caloços*** e sementes, e Cascão ***podelia*** ajudar a mexer com a ***tela***.

— E a gente concordou com o plano do Cebolinha! — falou Magali.

— Muito bom, turma! De um Chico para outro Chico, mesmo sem saber, praticaram um bom ensinamento e ajudaram a natureza. — concluiu André.

Muita disciplina

Cebolinha, de repente, saltou e gritou:

— Eu me ***lemblei*** de quando meu pai levou a gente ***pla*** passear nas ***cachoeilas***!

Quando começou sua história, Cebolinha contou que um guia de turismo apresentava o local para eles, porém, em vez de ouvirem informações, as crianças ficaram brincando.

— Enquanto o guia dava as ***olientações***, tentei pegar o Sansão da Mônica, então a dentuça ficou ***blava*** e jogou o coelhinho ***encaldido*** em mim. Mas ***elou*** feio e ***aceltou*** na cabeça do guia. Há, há, há! — falou Cebolinha.

— Mas o que aconteceu depois? — perguntou André.

Cebolinha contou que o guia se desequilibrou, caiu no rio, e se molhou todo. Ao sair, ele estava muito bravo, porque nenhum de nós estava prestando atenção.

— Ai, ai... Isso deve ter sido muito ruim. — falou André.

— Muito ruim! A água respingou longe. Tive que dar um salto mortal duplo pra trás pra me esquivar. — completou Cascão.

O primo André levantou-se e falou:

— Eu me lembrei de uma história do Chico Xavier numa cachoeira.

Ele também se encontrou com um "Guia". Não de turismo, mas sim, seu guia espiritual, que é invisível para a maioria de nós. — André continuou. — Esse guia chamava-se Emmanuel e lhe disse que para trabalhar em qualquer serviço, ele precisaria respeitar três pontos importantes: — Quais? — perguntou Cascão.

"Disciplina... Disciplina... e disciplina". — respondeu André. — Foi assim que Chico Xavier acabou se tornando o homem bom que as pessoas conheceram e passaram a admirar.

— Aprendemos a lição. Da próxima vez, vamos prestar bastante atenção. — lamentou Mônica. — Não é, Cebolinha?

— Concordo! A disciplina vai evitar banhos futuros nos amigos. — falou Cascão.

Ofensores e ofendidos

— Posso falar um pouco sobre a infância de Chico Xavier pra vocês? — perguntou André.

— Claro! — responderam todos.

André contou que Chico Xavier perdeu a mãe muito cedo e foi morar com sua madrinha, mas acabou sofrendo diversos tipos de maus tratos. Ela batia e xingava muito o pequeno Francisco.

— Mas não é assim que se trata uma criança! Que triste! — lamentou Dorinha.

André continuou:

— Pois é, Dorinha. Ele dizia: *"Fico triste quando alguém me ofende, mas ficaria ainda mais triste, se eu fosse o ofensor"*.

— André, isso me lembrou de quando assaltaram a padaria do pai do Quinzinho. — contou a Magali.

Magali contou que foi à padaria para comer alguns sonhos, alguns bolos, uma torta, uns brigadeiros e alguns docinhos, apenas para abrir o apetite e depois narrou o seguinte:

— Chegando lá, vi que todos estavam assustados. Durante a madrugada, um ladrão roubou o dinheiro do caixa, pães e umas baguetes. Mas pelo menos não destruiu nada. O Seu Manuel, pai do Quinzinho, chamou a família para ajudar a arrumar o lugar e, quando terminaram, fizeram uma oração.

— Uma ***olação***? — perguntou Cebolinha.

— Pediram para encontrar o bandido? — sugeriu Cascão.

— Não, não foi uma prece para achar o ladrão. — contou Magali. — Pediram que ele se arrependesse, não fizesse mais isso e se tornasse uma boa pessoa. Agradeceram também, por não ter acontecido nada de mal para ninguém ali.

— Que gesto lindo! — disse André.

— E parece que isso tocou o coração do ladrão. — falou Magali. — Uns dias depois, eles receberam o dinheiro roubado e um bilhete pedindo desculpas por tudo.

Isso também passa

Agora era a vez de a Mônica contar uma história.

— Lembram que ontem mesmo as meninas desafiaram os meninos a fazer uma grande pirâmide com as cartas de baralho?

— Hi, hi, hi! Claro! — sorriu Magali.

A dentucinha contou que o combinado era que venceria quem conseguisse fazer uma pirâmide de cartas mais rápido. De um lado, Titi, Cebolinha e Cascão, e do outro, Magali, Marina e ela, que já estavam bem mais adiantadas.

— Mais ***lápido,*** Titi! As meninas estão ganhando. — falou Cebolinha. — Me dá essa ***calta,*** Cascão.

E a Marina disse:

— Falta só mais uma para ganharmos!

— Sim! Magali, coloque a carta vencedora. — disse Mônica.

E quando as meninas estavam para ganhar, Mingau correu pela casa e derrubou a pirâmide, para nossa tristeza.

Cebolinha rolou de rir, a Mônica ficou furiosa, então Cascão disse:

— Agora vamos vencer, falta apenas esta carta aqui e...

E, enquanto os meninos já comemoravam, o troca-letras ria tanto que bateu a mão na pirâmide e a derrubou toda.

Então, o primo André lembrou mais uma frase de Chico Xavier à turminha:

— *"Tudo na vida passa"*. Momentos felizes vão embora, e os tristes, também. Nem tudo é como queremos, mas tudo, com certeza, é aprendizagem.

Magali acrescentou e disse:

— André, sabia que a Mônica deu uma senhora coelhada nele porque ele riu?

— E até ***agola*** eu me ***lemblo*** da coelhada. — confirmou Cebolinha, colocando a mão na cabeça.

— Você não ouviu o André, Cebolinha? Não se preocupe, isso também passa! — concluiu Mônica, rindo.

Trabalhar e servir

— Lembrei agora do Seu Juca! Ele é muito trabalhador. — disse Cascão.

— É mesmo! Seu Juca ***semple apalece*** em um ***emplego*** novo. — completou Cebolinha.

— Lembro dele naquele show de mágica! Ele ficou nervoso quando viu a gente. O seu Juca sempre se emociona com a gente — disse Mônica.

— E daquela vez que ele ***tlabalhou conseltando*** postes de ***lua***? Há, há, há! Que ***englaçado!*** — lembrou Cebolinha.

—Eu acho que ele não dá sorte nos empregos. — disse Xaveco. — Sempre acaba demitido.

André se lembrou que, sem a mãe, Chico Xavier teve que trabalhar desde pequeno.

— Como Chico Xavier trabalhava muito, ele tinha esta frase: *"O trabalho deve ser constante. Trabalhar e servir, eis o caminho da felicidade"*. — contou André.

— É... o Seu Juca parecia sempre feliz com o emprego. — falou Mônica.

— E vocês, crianças, já imaginaram que profissão vão ter? — perguntou André.

O Cebolinha, logo respondeu:

— Fácil! Eu ***selei engenheilo***, pois sou ótimo com planos.

— Eu vou ser nutricionista! — afirmou Magali. — Posso dar ótimas dicas de alimentação.

— Eu quero abrir uma empresa de reciclagem. — falou Cascão. — Servir a natureza também conta.

E, assim, a turminha foi falando várias profissões com as quais sonhava para o futuro.

— Lembrem que o trabalho no bem é o caminho para ser feliz. — finalizou André.

Sinal de alegria

Enquanto a turminha continuava contando suas histórias, Anjinho apareceu.

— Oi, Anjinho, o que está fazendo por aqui? — perguntou Magali.

— Oi, pessoal! Eu vi que o Franjinha e outros amigos nossos precisavam de ajuda e vim. — respondeu Anjinho.

— O que houve? — falou André, curioso.

E Anjinho começou sua história.

— Mais cedo, lá do céu, vi o Franjinha trabalhando em uma de suas invenções: uma máquina que multiplica brinquedos, porque ele queria fazer uma doação para famílias carentes. Mas a tal máquina parecia que ia explodir. Então, voei depressa e carreguei o Franjinha pelos braços a tempo.

E o Anjinho prosseguiu:

— E não parou por aí. Logo depois, ouvi um grito de socorro do Jeremias. Um cachorro estava atrás dele. Eu distraí o cão, enquanto ele fugia. Então, Titi e a Aninha precisavam de ajuda pra carregar sua cesta de piquenique e... aqui estou.

Após ouvir o Anjinho, André contou que essa história lembrava um doce ensinamento de Chico Xavier: *"Deixe algum sinal de alegria, por onde passar."*

— Ajudando as pessoas no lugar onde estivermos, faremos um mundo mais alegre e feliz. — complementou André.

— Eu vou ajudar também. — falou a Magali, decidida. — A máquina explodiu, mas posso doar algumas das minhas bonecas..

— Eu tenho uns ***calinhos*** antigos. — lembrou o Cebolinha. — Vou levar ***pala*** o ***Flanjinha*** também.

— Eu posso ajudar a carregar os brinquedos. — acrescentou Mônica.

Ao ouvir os comentários, André finalizou:

— Suas ações deixarão sinais de alegria e, para essas crianças carentes, todos vocês serão como anjos.

Educação sempre

— Posso contar aquela do avião? — perguntou Mônica.

— Qual? Quando a Magali ***devolou*** todos os lanchinhos? — provocou Cebolinha.

— Engraçadinho... — retrucou Magali.

A Mônica, então, contou que, pouco depois da decolagem, o piloto deu as informações do voo e avisou que o avião sobrevoava o mar. O coitado do Cascão levou um susto daqueles e tremia horrorizado.

— A gente não sabia o que fazer pra acalmar o Cascão. — disse Mônica.

André interveio e contou uma situação que Chico Xavier viveu:

— Ele também estava num avião, e tudo começou a balançar de um lado para o outro. Chico Xavier ficou com medo e gritou: "Meu Deus! Vamos morrer!" Foi quando ele ouviu a voz de Emmanuel, seu guia espiritual, perguntando o que aconteceu.

— Mas como? Ele ***entlou*** no avião? — indagou Cebolinha.

— Não, Cebolinha. Eles conversavam mentalmente. Chico Xavier disse que estava com medo. Aí, Emmanuel explicou que todas as pessoas um dia vão morrer, e que não adiantava se desesperar, porque isso só assustaria ainda mais os outros passageiros.

— Esse Emmanuel é ***blavo!*** — interrompeu Cebolinha.

— A Dona Morte estava por perto? — perguntou Cascão

— Bem, ele continuou agitado! E Emmanuel, sempre paciente, advertiu que esse seria um grande momento para Chico Xavier mostrar sua fé em Deus. — explicou André. — Emmanuel pediu para que ele tentasse ficar quieto, sem gritar. Afinal, já que era o fim, pelo menos *"morra com educação"*.

— Há, há, há! — todos riram muito.

André finalizou contando que o avião se estabilizou, e tudo deu certo na continuação da viagem.

— Com a gente também. — afirmou Magali. — Graças à Mônica.

— E o que você fez, Mônica? — perguntou André.

— Simples, eu disse: "Cascão, fica tranquilo, senão eu dou uma coelhada em você", e ele sossegou rapidinho — respondeu Mônica, arrancando gargalhadas de todos.

A paciência resolve problemas

Tem mais uma história que quero contar — disse Magali. — Certa vez, Mônica e eu estávamos no sofá, assistindo TV, quando senti um cheirinho estranho na almofada. Era de xixi do Mingau! Tentei limpar de todos os jeitos, joguei perfume, coloquei na máquina de lavar, pus no sol para secar, mas nada tirava o fedor. Até que o Franjinha me ensinou uma fórmula, um detergente com limão.

— Só assim o cheiro de xixi saiu! Completou Mônica.

— Mas, pouco tempo depois, Mingau fez xixi de novo na mesma almofada! — lamentou Magali.

André, ao ouvir a história, lembrou-se de um ensinamento de Chico Xavier:

— Hum... Chico Xavier ensinava mais ou menos assim: *"Não há problema que não possa ser solucionado pela paciência"*. Quando uma pessoa precisa resolver algo, deve ser paciente, para encontrar a solução.

— Pois foi isso mesmo que a Magali fez! — disse Mônica.

Magali contou:

— Bem, minha mãe chegou na sala e ficou surpresa com o que eu tinha feito.

— E o que foi o que você fez? — perguntou Cascão.

— Coloquei uma fralda no Mingau, ué! — respondeu Magali.

— Uma ***flalda?*** Há, há. — indagou o risonho Cebolinha.

— A mãe da Magali não estava entendendo nada! — disse Mônica. — Ela disse: "Não sei por que, mas isso não está me cheirando bem".

Magali então respondeu:

— Xiii, e não estava cheirando bem mesmo! Mas, com muita paciência, achei uma boa solução para um problema bem fedido.

Amor aos bichinhos

— Eu tenho uma história também! — gritou Dudu. — Lembram quando a gente foi no cinema ver aquele filme do cachorrinho que tinha sido maltratado?

— Claro que lembro! E um menino carequinha que não tinha dinheiro adotou o cãozinho. — disse Mônica.

— Ele até me ***lemblou*** o Bidu. — falou Cebolinha.

André, aproveitando a conversa, contou que Chico Xavier adotou muitos bichinhos, amava todos eles e certa vez afirmou:

— *"As pessoas que maltratam os animais ainda não aprenderam a amar"*.

André contou que os bichinhos merecem todo nosso carinho, pois fazem parte da harmonia da natureza, e completou:

— Os passarinhos, por exemplo, ficam felizes quando vivem soltos e voam livres.

— Os passarinhos soltos podem ser nossos amigos? — perguntou Dudu.

— Claro, Dudu. Sabia que existem diversas aves livres que ajudam os humanos nos seus trabalhos? — perguntou André.

— É verdade, tem os pombos-correio. — disse Cascão. — São aquelas aves que entregam cartas, que nós vimos na escola.

— Um pombo assim, ***podelia*** me ajudar num dos meus planos infalíveis ***contla*** você-sabe-quem. — comentou Cebolinha, já pensando em aprontar.

— Cebolinha! É só pra fazer coisas boas. Não entendeu? — gritou a Mônica, enquanto girava o Sansão.

— Cuidado que não são só as aves que voam. — disse Magali.

— Os coelhos também. — completou Mônica. Há, há, há!

Agradecer pelas dificuldades

Cascão, então, viu uns meninos brincando de carrinho:

— Eu me lembrei agora da corrida de carrinhos com os meninos da rua de baixo!

— O Cascão tinha feito um carrinho reciclado muito bom. — acrescentou Mônica.

— Sim. Só que, um dia antes da corrida, esqueci o carrinho no jardim. — afirmou Cascão. — E com a chuva e o sol, estragou!

— Na ***hola***, pensamos que nossas chances tinham acabado. — falou Cebolinha.

André aproveitou a história do Cascão e explicou o que Chico Xavier falava em situações similares:

— *"Agradeço as dificuldades, pois foram elas que me ajudaram a sair do lugar"*.

— As dificuldades ajudam? — perguntou Mônica.

Magali levantou-se e falou:

— Meu pai me contou que as pessoas criaram a roda porque precisavam carregar coisas pesadas.

— Hum, acho que estou entendendo. — disse Mônica. — Então, o Cascão viu que tinha pouco tempo, pediu ajuda da turminha para fazer um novo carrinho e foi correndo atrás de novas peças.

— Eu e o Xaveco fomos ***plocular*** com ele. — falou Cebolinha.

— E eu carreguei as mais pesadas. — disse a Mônica.

— Até a Marina ajudou, pintando o carrinho. — acrescentou Magali. — Ficou muito lindo.

Cascão concluiu dizendo:

— Foi assim que fiz um carrinho a tempo, mais moderno, bonito e ainda mais rápido, com a ajuda de todos.

— E o melhor: ele ganhou a corrida! — disse Mônica. — Realmente, a dificuldade ajudou a gente a sair do lugar.

Faça pelo bem em si

O Cebolinha olhou para o livro que André segurava e contou que, certa vez, pensou em escrever um livro também, contando o sucesso dos seus planos infalíveis, para ficar muito rico. Todos riram, menos o troca-letras, que ficou emburrado.

André, aproveitando o momento, lembrou:

— Bem, meninos, Chico Xavier escreveu mais de 400 livros! Desde poesias e romances, até obras sobre histórias antigas, que vão da época das cavernas até o futuro da humanidade.

— Uau! Será que ele escreveu algo sobre o Piteco ou o Astronauta? — pensou Dorinha, em voz alta.

— Chico Xavier também escreveu sobre outra dimensão: o mundo espiritual, para onde as pessoas vão depois desta vida. — completou André.

— Já sei! Onde vive a Turma do Penadinho. — afirmou Cascão.

Todos riram, enquanto André continuou:

— Seus livros já venderam milhões e milhões de exemplares, mas ele doou tudo para instituições de caridade.

— Nossa! — disse Cebolinha, espantado. — Mas ele ***podelia*** ter ficado ***lico!***

André lembrou que Chico Xavier gostava de escrever por amor, e uma vez falou: *"Ame sempre, porque isso faz bem a você; não por esperar algo em troca"*.

— Turma, também podíamos escrever livros e ajudar um montão de instituições de caridade. O que vocês acham? — indagou Mônica.

— Eu posso escrever um livro sobre culinária! — falou Magali.

— Reciclagem e cuidados com a chuva é comigo mesmo! — afirmou Cascão.

— Acho que ***agola*** vou ***esclever*** um ***livlo*** sobre como ***pelder*** peso! — falou Cebolinha, olhando para a Mônica.

— E eu, sobre como acertar alvos a distância, engraçadinho! — disse a Mônica encarando o Cebolinha.

André, sorrindo, completou:

— É muito bom pensarmos em fazer algo para ajudar os outros, independentemente de recebermos algo em troca.

Liberdade pelo amor

Magali contou quando a turminha viajou para conhecer um projeto com lindas tartarugas e fazer aula de mergulho.

— E todos gostaram? — perguntou André.

— Todos nós adoramos, menos o Cascão, que nem foi. — respondeu Magali.

— É claro! Mar e mergulho? Tô fora! — confirmou Cascão. — Era água pra todo lado. Preferi ver as tartaruguinhas nas fotos, mesmo.

— Ah, Magali, conta o que aconteceu quando voltamos pra praia. — pediu Mônica.

— Sim, sim! — lembrou Magali. — Quando a gente voltou, a maré estava baixa, e um peixinho acabou sendo deixado numa das poças.

Magali, ao ver algumas aves se aproximarem do peixinho, começou a espantá-las e, Cebolinha rapidamente pegou o seu baldinho, colocou o peixe nele e o salvou das aves famintas.

— E o que aconteceu depois? — perguntou o primo André.

— A gente ficou um tempão admirando a ***"Poli"***. É que nós achamos que era uma fêmea. E ela era linda e cheia de listrinhas. — suspirou Magali.

— A cor dela era um azul tão bonito, que até combinava com o Sansão! — completou Mônica.

Magali contou, também, que ficaram na dúvida sobre o que fazer, pois todos se encantaram pela peixinha. Cebolinha achou que seria legal levá-la para casa, assim Cascão também poderia conhecê-la.

— Mas, logo depois, a gente só pensava que a família dela poderia estar procurando por ela, igual àquele filme. — disse Magali. — Por isso, decidimos devolver a peixinha ao mar, para continuar livre.

André, aproveitando a conversa, acrescentou:

— Que bela mensagem, crianças. Nesses casos, sempre me lembro de uma frase do Chico Xavier, que era mais ou menos assim: *"O amor não prende, liberta!"*. E graças à linda atitude de vocês, essa história terminou com um final feliz.

Não julgar

— Pode ser a minha vez, agora? — perguntou Mônica.

— Claro! — respondeu André.

Mônica se lembrou de quando foi com a Magali na pracinha gravar um vídeo sobre a natureza. Enquanto filmavam, Mônica se distraiu e deixou o Sansão no chão, e o Cebolinha viu.

— Xiii, já imagino como vai terminar essa história. — comentou André.

Magali prosseguiu:

— Só que uma coruja que voava por perto confundiu o Sansão com um coelho de verdade, deu um voo rasante e o levou até o ninho, numa árvore próxima.

— Cebolinha viu isso e subiu na árvore pra resgatar o Sansão. — disse Mônica.

— Mas, ao chegar lá em cima, a ***coluja nelvosa*** me deu muitas bicadas. — falou Cebolinha. — Ai, ui! Doeu ***pla calamba!***

— O coitado do Cebolinha, mesmo machucado, resgatou o Sansão para a Mônica.

Mas ela ficou furiosa quando viu o coelhinho nas mãos dele. — explicou Magali. — Cebolinha tentou explicar, mas nós não acreditamos nele.

— Ainda bem que eu pude ***plovar*** a ***veldade.*** — falou Cebolinha, com firmeza.

— Como? — perguntou André.

Cebolinha viu que a câmera estava ligada e pediu para as meninas conferirem o vídeo gravado. A câmera registrou o momento em que a coruja pegou o coelhinho e viram o Cebolinha fazer o resgate.

— Quando vimos as imagens, ficamos arrependidas e envergonhadas. — concluiu Magali.

— Que bacana que tudo se esclareceu, e o melhor: sem coelhadas! Crianças, Chico Xavier sempre dizia *"não julgar, definitivamente não devemos julgar a quem quer que seja"*. — ensinou André.

— É verdade, André. E, pela coragem, o Cebolinha até ganhou um prêmio. — disse Magali.

Mônica contou que, em gratidão, deu um beijão no seu amigo, e agradeceu:

— Você foi um herói!

— Tá legal, mas não ***ela pla*** tanto. — concluiu Cebolinha, avermelhado.

Reconhecimento do trabalho

Xaveco decidiu contar a história sobre o concurso de jovens talentos de que o Franjinha participou e ele foi junto pra torcer pelo amigo.

— O Franjinha tinha construído um robô que identificava se a pessoa tinha alguma doença e qual era essa doença. — disse Xaveco.

— Todos nós achamos que ele venceria o concurso, mas ele não ganhou. — afirmou Marina.

— O Franja ficou muito triste. — acrescentou Cascão.

Xaveco continuou:

— Ele contou que um médico importante tinha achado a ideia do robô muito boa e pediu para levar até o hospital onde ele trabalhava.

— André, o robô fez o maior sucesso! Funcionou direitinho. — completou Marina. — O que é espantoso para uma invenção do Franjinha!

— Pela contribuição para a saúde e recuperação das pessoas, o Franjinha recebeu uma premiação com honras do prefeito da cidade. — contou Mônica.

André contou, então, um caso que aconteceu com Chico Xavier:

— Os amigos dele o candidataram para receber o "Prêmio Nobel da Paz".

— Uau! E ele ganhou? — perguntou Xaveco.

— Não, mas ele não ficou triste. — respondeu André. — Chico Xavier tinha uma frase que dizia: *"Tudo que é seu encontrará uma maneira de chegar até você!"*

André explicou à turminha que muitos anos se passaram, e o povo brasileiro reconheceu Chico Xavier como um dos maiores brasileiros de todos os tempos, num concurso realizado na televisão. Isso sem contar os diversos reconhecimentos às suas obras literárias e sua mensagem de paz e amor a todas as criaturas. Isso o deixava imensamente feliz.

— Foi o que aconteceu com o Franjinha também. No final, ele ficou muito feliz pelo bem que fez. — finalizou Xaveco.

O bem não pode esperar

Marina entrou na brincadeira de contar histórias também.

— Posso contar o dia da premiação na galeria de arte? — perguntou Marina.

— Claro, Marina! — respondeu André. Marina contou que naquele dia ela recebeu uma medalha pela exposição de suas pinturas e, na saída da galeria, a turminha foi comemorar.

— Eu me ***lemblo*** que todos estavam muito bem ***alumados***. — disse Cebolinha.

— Todos os meninos estavam de paletó. — falou Magali.

Marina disse que, na ansiedade de receber o prêmio, aconteceu uma confusão entre as crianças e a medalha acabou caindo no riozinho.

Todos ficaram com medo de entrar, porque ele estava muito cheio. O Cascão correu para longe e se escondeu atrás de uma árvore.

Então, Franjinha conseguiu laçar a medalha de dentro do rio usando um galho e um cipó, e a trouxe em segurança até a margem. Mas, para fazer isso, sujou seu terno novinho de lama.

André interrompeu e lembrou-se de uma frase do Chico Xavier:

— *"Todo o bem que pudermos fazer, não devemos adiar".*

— É verdade! Se o resgate demorasse, eu poderia ter perdido a medalha! — disse Marina. E são essas coisas que pintam nossa amizade com cores cada vez mais belas. — concluiu Marina.

Amar sempre

— Tem mais uma! — gritou Cascão. — Lembra daquela vez em que a gente foi ao cinema ver o filme do Capitão Pitoco?

— Ô, se ***lemblo!*** Eu até imaginei como ***selia*** ter ***podeles!***— disse Cebolinha.

— Eu pensei em ser uma heroína... — falou Mônica.

— A mulher gorducha. Há, há, há! — interveio Cascão, rindo.

— Ou a dentuça ***malavilha***. — acrescentou Cebolinha, rindo também.

— Cebolinhaaaaa! — gritou Mônica furiosa, com o Sansão girando sobre a cabeça.

André acalmou os ânimos dizendo que a vida de Chico Xavier também foi para o cinema, e foi um dos filmes mais vistos no Brasil.

— ***Sélio?*** — perguntou Cebolinha.

— Sim, Cebolinha. — respondeu André. — Esse filme mostrou a vida dele, e o maior poder que ele tinha: o de amar sempre! Pois o importante é amar alguém ou alguma causa, sem pedir nada.

André lembrou uma frase que Chico Xavier dizia: *"Se tivesse algum poder ou influência nas pessoas, apenas repetiria a frase de Jesus: amai uns aos outros como eu os amei."*

Então Magali falou que nos gibis e no cinema também era assim, pois os heróis sempre ajudavam os outros sem esperar qualquer tipo de recompensa.

— É isso aí, Magali! — exclamou André. — O amor é trabalhar por um mundo melhor, sem esperar pagamento, nem a compreensão das pessoas.

Amor e compreensão

— Há, há, há! — riu Mônica, ao se lembrar de outra história. Ela contou que, certa vez, Robertinho, o garoto mais fofo do bairro, passeava pelo parquinho e as meninas cochichavam sobre o novo penteado dele. Os meninos viam tudo de longe, com ciúmes.

— Ei, não ***ela*** ciúme! — interveio Cebolinha.

— Claro, claro que não! Só invejinha... — falou Magali.

— Bem, naquele dia, os meninos pediram ajuda pro Franjinha. — Ele tinha acabado de inventar a Peruca Térmica Modeladora 3000.

— Ele explicou que ainda estava em fase de testes, mas ninguém ouviu o Franja. — completou Cascão.

— E, logo depois, todos os meninos apareceram com perucas. — contou Mônica.— Só que as ***pelucas*** não ***delam celto.*** — lamentou Cebolinha. — ficamos totalmente ***calecas.***

— O que, no seu caso, não é muito diferente do normal, né? — disse Mônica apontando pro troca-letras, que fez que não ouviu.

Os meninos explicaram que fizeram isso para chamar a atenção das meninas.

André lembrou que Chico Xavier também usou peruca por muito tempo, e depois um tipo de boné.

— Lembro que ele usou a peruca quando foi convidado a responder perguntas muito difíceis, num importante programa de TV, por mais de duas horas seguidas. Chico sempre dizia: *"Caridade é amor, e amor é compreensão"*. —- respondeu André. — Por isso, ele respondeu tudo com muita humildade, sabedoria e amor.

— Com os meninos foi quase igual. — falou Mônica. — Eles compreenderam que o carinho das pessoas é pelo que elas são e não como aparentam. E a gente gosta dos nossos amigos com qualquer tipo de penteado!

Saúde para ajudar

— Posso contar o que aconteceu no dia em que pedi a ajuda do Cebolinha pra tirar meu carrinho de rolimã do buraco? — perguntou Cascão.

— Claro, primo! — respondeu André.

Cascão, então, contou que o carrinho emperrou e ele precisava de ajuda, mas o troca-letras disse que não podia porque estava com um olho machucado.

— A dentuça me ***aceltou*** em cheio com uma coelhada. — queixou-se Cebolinha.

—Exagerei na força. — lamentou Mônica, com um sorriso amarelo. — Mas se não tivesse me provocado, não tinha ficado de olho roxo!

— Mas isso não justifica! — insistiu Cascão. — Para me ajudar, eu precisava de duas mãos e não dos dois olhos. André interveio e falou que algo similar, mas muito mais grave, acontecera com Chico Xavier.

— A ***golducha aceltou*** uma coelhada nele também? — perguntou Cebolinha.

— Não atrapalha, Cebolinha! Deixa o André continuar. — afirmou Magali.

André explicou que Chico Xavier teve um problema de saúde que o deixou quase cego de um olho, e não pôde trabalhar por dois dias. Então, Emmanuel perguntou a ele por que não estava trabalhando.

— Mas é ***clalo***, se estava sem a visão de um olho, ele não podia. — disse Cebolinha.

— Foi algo assim que Chico respondeu. — disse André. — Mas Emmanuel argumentou que ter dois olhos é um luxo e um privilegio, pois *"com apenas um olho, já é possível trabalharmos e sermos úteis"*.

— Uma coisa parecida aconteceu! — falou Cascão. — Logo depois, o Cebola veio me ajudar. E com a ajuda dele eu consegui tirar o carrinho do buraco!

Repousar na hora certa

— Pode ser a minha vez, agora? — perguntou Xaveco.

— Claro que pode! — respondeu André.

Xaveco se lembrou de uma exposição de animais marinhos que a turma toda queria visitar, mas seus pais não tinham dinheiro suficiente. Aí, eles resolveram vender doces e salgados para pagar as entradas e o Marcelinho ficou responsável pela contabilidade.

Magali continuou a história, contando que todas as noites ajudava sua mãe a fazer a comida para vender, mesmo quando elas já estavam cansadas.

— Mas quando ficava muito tarde, Mingau subia à mesa e dava mordidinhas no meu braço! — contou Magali

Magali pensou que o Mingau queria atenção, mas ele continuava lambendo, mordiscando e jogando a patinha, até que ela parasse de trabalhar. E isso acontecia sempre que ficava tarde.

André logo interrompeu a conversa:

— Com Chico Xavier, aconteceu algo parecido. Ele tinha dois gatinhos, e quando trabalhava até a madrugada, os bichanos iam e mordiscavam suas mãos.

— Ué, e por que faziam isso? — indagou Magali.

— Era a forma de eles dizerem: "Está na hora de descansar. Você não é uma máquina, chega por hoje e vai repousar." — respondeu André.

— Ah, agora entendi! — exclamou Magali. — O Mingau estava cuidando de mim.

— Esse é o ensinamento: *"O nosso corpo também precisa de repouso"*. — acrescentou André.

E Cebolinha concluiu:— O mais legal é que vendemos todos os doces e salgados e fizemos um passeio da ***hola!***

Fidelidade animal

— Minha vez, agora! Lembram quando o Franjinha foi fazer um concurso de ciências em outra cidade? E nós todos fomos nos despedir dele na rodoviária? — começou Marina. — ***Clalo*** que ***lemblo***. O ***conculso*** passou até na televisão. — disse Cebolinha. Mas sabiam que o Bidu ficou na estação, ***espelando*** o ***Flanjinha*** voltar no fim do dia?

— Sério? — perguntou André.

— É! Quando fomos receber o Franjinha de volta, vimos que o Bidu tinha ficado lá, esperando. — confirmou Mônica. — Quando o ***Flanjinha*** desceu do ônibus, o Bidu pulou e lambeu ele, todo feliz! – explicou Cebolinha.

André, aproveitando a narrativa, contou que Chico Xavier teve muitos cachorrinhos. Alguns até oravam com ele, outros brincavam e havia um que gostava de lamber seu rosto. Era essa a forma de ele dar seu carinho e transmitir sua energia.

— Chico Xavier dizia: *"Os cachorros despertam muito amor, e são modelos de fidelidade"*. — comentou André.

E enquanto André falava, todas as crianças da turminha abraçaram seus bichinhos de estimação, com muito carinho.

Proteção

Depois de tantas histórias, as crianças lembraram de outro piquenique que fizeram. André quis saber como foi e a Mônica explicou:

— A gente levou comidas deliciosas e, após deixar tudo pronto num lençol, fomos jogar vôlei.

— Eu fui contra jogar antes de comer, me lembro bem — falou Magali.

— Estava tudo certo até que a gorducha bateu tão forte na bola, que ela foi pro meio do mato. — contou Cascão, chateado.

Magali contou que os meninos foram procurar a bola e sem querer pisaram num formigueiro.

— Fomos atacados por ***assustadolas folmigas*** alienígenas. — exagerou Cebolinha. — ***Elam*** milhões.

— Mas o pior foi na hora do lanche. — lamentou Magali.

— A comilona deixou cair um pouco de bolo e logo uma fila de formigas se formou. — contou Cascão.

— Eu jamais desperdiço comida! — se defendeu Magali.

— Tá, não ***impolta*** quem foi, mas elas ***picalam*** a gente de novo. — lamentou Cebolinha.

André comentou que Chico Xavier tinha o maior cuidado com a natureza. Ele olhava para o chão e evitava pisar em formigas. Por isso, dizia:

— *"Deus nos outorgou a proteção dos animais"*. E isso vale para todos os bichinhos, desde os menores. Assim, quando ele via uma fila de formigas, passava longe para não perturbá-las.

Mônica interveio e lembrou que o Chico Bento uma vez falou que as formigas são amigas, pois com seu trabalho ajudam a natureza e deixam a terra fofinha para as plantas crescerem melhor.

— Elas trabalham todo o tempo. — acrescentou Magali. — E comem os nossos lanches também.

— Mas picada de formiga dói! — concluiu Cascão. — Mais do que coelhada!

Amizade

— É o tesouro! — gritou Cascão.

— O quê? — perguntou Magali.

— Lembrei de uma história muito legal! Foi quando a gente brincou do desafio pirata. — disse, todo empolgado, Cascão.

— Aquilo foi demais! Seguimos meu plano e achamos o ***cofle,*** com a ajuda do mapa. — contou Cebolinha.

— Logo depois, chegou a rainha e tirou o cofre dos piratas! — disse Mônica.

— Era o nosso tesouro! — reclamou Cascão. — A dentuça pegou e não devolveu!

— Mas o cofre tinha muitas joias bonitas. — explicou Mônica. — Que eram minhas!

André aproveitou a conversa e perguntou à turminha:

— Vocês sabem qual é o maior de todos os tesouros?

— Uma imensa fazenda de melancias. — respondeu Magali.

André contou que Chico Xavier tinha uma frase para isso: *"Os amigos são o maior tesouro que Deus nos deu"*.

— Não tinha pensado nisso, primo. — falou Cascão.

— Chico Xavier, durante toda a vida, fez muitos amigos, ajudando a muita gente e a diversos animais. — contou André. — Quando ele morreu, em 2002, milhares de pessoas foram ao velório, que durou três dias. Até um cãozinho desconhecido ficou embaixo do caixão o tempo todo.

— Nossa! Que lindo! — disse Magali, emocionada.

— Já sei! — exclamou Cascão. — Na nossa próxima brincadeira, quem achar primeiro o cofre, divide ele com todos.

— ***Plometido***. — confirmou Cebolinha.— E eu posso brincar com vocês? Garanto que não pego de novo. — falou Mônica.

— É ***clalo!*** Você é nossa amiga, Mônica. — aceitou Cebolinha. André então concluiu:

— Se pensam assim, em ajudar aos seus semelhantes e compartilhar suas coisas, vocês ganharão um grande tesouro: muitos amigos.

Despedida de um Cisco

— Bem, turminha, adorei o piquenique. A comida e o bate-papo foram deliciosos. Mas está na hora de partir. — disse André.

— Fica pra jogar futebol com a gente! — pediu Cascão.

— Já está na minha hora, mas você me fez lembrar uma última historinha. — falou André.

E ele contou do dia em que Chico Xavier partiu da Terra. Foi justamente no mesmo dia em que o Brasil ganhou a Copa do Mundo do Japão e da Coreia do Sul. Naquele dia, o Brasil estava em festa.

— Puxa, ele não ficou ***pala comemolar.*** — pensou Cebolinha.

— Ele não queria chamar a atenção. Chico Xavier era tão simples, que dizia que seu nome deveria ser apenas um **Cisco** e não **Francisco**. — acrescentou André. Ele falava assim por humildade e via nos outros seres, seus iguais, seus irmãos.

— Ai, que lindo! — opinou Magali.— Nunca olhava ninguém como inferior, pelo contrário. Chico Xavier dizia que ele era: *"apenas uma grama, num imenso estádio de futebol"*. — finalizou André. — Agora, sim, posso ir. Até a próxima, crianças!

— Volte sempre, André! — gritou Cascão, enquanto todos acenavam.

— Então, André entrou num táxi e partiu. Mônica, Cebolinha, Magali, Cascão e toda a turma ficaram mais uma vez felizes e prometeram refletir sobre o que aprenderam. Afinal, com as histórias dos exemplos de amor de Francisco Cândido Xavier, o Chico Xavier, certamente serão pessoas de bom coração e, quem sabe um dia, se tornem ainda melhores.

Mas, para nós, essa turminha adorável já é a melhor de todas.

Embora ninguém possa voltar atrás
e fazer um novo começo, qualquer um pode
começar agora e fazer um novo fim.

Chico Xavier